THANK YOU SO
much for your help

WEVLY THibeaud

D1382976

RISING UP

EMPOWERING ADOLESCENT GIRLS THROUGH THE ARTS IN HAITI

AUTONOMISER LES ADOLESCENTES À TRAVERS LA PRATIQUE DES ARTS EN HAÏTI

CENTER FOR THE ARTS
PORT-AU-PRINCE
2014

RISING UP

EMPOWERING ADOLESCENT GIRLS THROUGH THE ARTS IN HAÏTI
AUTONOMISER LES ADOLESCENTES À TRAVERS LA PRATIQUE DES ARTS

Published by Center for the Arts, Port-au-Prince
Designated publisher : Nota Bene Editions Communication - www.notabeneditions.com
All rights reserved for text and photos for all countries
ISBN : 978-99970-4-112-8
Dépôt légal : 14-06-297 (Bibliothèque Nationale d'Haïti)
Printed in Korea

This book is dedicated to the girls of Siloe, with the hope that they will rise up and fulfill their dreams and to the memory of my father, David Todres, who is most certainly smiling down and watching the girls rise up through a billowy white cloud.

Ce livre est dédié aux jeunes filles de Siloe, avec l'espoir qu'elles prendront leur envol et réaliseront leurs rêves, et à la mémoire de mon père, David Todres, qui est sûrement en train de sourire en regardant d'en-haut, à travers un nuage blanc.

The Center for the Arts, Port-au-Prince is working in Haiti to empower adolescent girls in the arts and create income-generating activities in the arts.

Le Centre pour les Arts de Port-au-Prince s'emploie à autonomiser les adolescentes d'Haïti à travers les activités artistiques éventuellement rémunératrices.

FOREWORD

AVANT-PROPOS

In the aftermath of the 2010 earthquake in Haiti, girls are facing many challenges: lack of access to education and opportunities, and the risk of pregnancy, sexual exploitation and violence. However, they have dreams that deserve to be fulfilled. The girls, whose words and art fill this book, are a constant hum of energy, creativity, wisdom and perseverance.

World Connect imagines a future in which women and children, particularly girls, are educated and valued, their health concerns are acknowledged and treated, and they are respected for their skills and their pivotal roles in their communities, a world in which they can laugh, love and enjoy life. This book is both a culmination and a beginning. It captures the blossoming of the artistry and talent of the girls of Siloe, a blossoming made possible through the collaboration of supportive partners around the world. We also hope that by introducing these girls and their stories to new audiences and new media, the book will lead to new opportunities for them and for all girls in Haiti.

Patrick Higdon and Pamela Nathenson of World Connect

We invite you to join us in supporting our call to action. Let us empower an agenda that promotes opportunity for girls in Haiti so that they feel the full force of a supportive global community under their wings. It is our goal in launching this book project that this will be the beginning of an uplifting journey for the girls of Siloe, and that their art, energy and drive will captivate the world, as it has captivated us.

Pamela Nathenson, Executive Director, World Connect

World Connect is a non-profit organization that identifies transformative, locally-led projects and the innovators with the ideas and drive to bring positive change to their communities, and provides the spark to get these projects launched. World Connect works in 15 developing countries and has launched more than 800 projects that improve health, the environment, educational and economic opportunity, with a specific focus on accelerating opportunity, for women and girls. World Connect brings its international programming into middle and high school classrooms to teach young people about global issues and the value of global citizenship, aiming to build a more connected, invested, and collaborative global community. At World Connect we believe in the promise of reciprocity; building a better world for each other today will bear fruit for us all tomorrow. **Learn more at www.worldconnect-us.org**.

Abundance Foundation and our partners, train, support and empower local leaders in communities worldwide to develop new capacities that build lasting improvements in quality of life. We work to promote whole and healthy communities by focusing on the intersection of Health, Arts and Education, and Empowerment, with several of our projects focused on these issues in Haiti. The Abundance Foundation serves as a connective hub to a network of visionaries, innovative projects, and organizations that are working together to transform scarcity into abundance. **Learn more at http://abundance.org**.

Michael Stars is an LA-based, contemporary clothing brand that offers a full collection of luxury essentials that embody the modern California lifestyle. The brand has truly made its mark within the lifestyle market, continuing to grow into a fashion-forward, effortless brand to which style-conscious women feel connected. Not only innovative in its designs, the brand is also dedicated to humanitarian efforts and is a regular supported of numerous philanthropies geared towards women and girls equality, education and a commitment to social change. **Learn more at www.michaelstars.com**.

Dans l'après tremblement de terre de 2010 en Haïti, les filles sont confrontées à de nombreux défis : l'accès difficile à l'éducation et le manque d'opportunité, le risque de grossesse chez les adolescentes, l'exploitation sexuelle et la violence. Pourtant elles ont des rêves qui méritent de se réaliser. Les filles dont l'art remplit ce livre sont un bourdonnement constant d'énergie, de créativité, de sagesse et de persévérance dans leurs mots et dans leur art.

World Connect imagine un futur où les femmes et les enfants, notamment les filles, seront instruits et valorisés, où leurs problèmes de santé sont reconnus et traités, où femmes et enfants seront respectés pour leurs compétences, leurs rôles pivots dans leurs collectivités, et où ils pourront rire, aimer, et profiter de la vie. Ce livre est à la fois un aboutissement et un commencement. Il capte l'art et le talent intrinsèque des adolescentes, qui désormais s'épanouissent avec l'aide et le soutien de partenaires à travers le monde. Nous espérons qu'en mettant ces filles et leur histoire face à de nouveaux publics et de nouveaux médias, le livre leur offrira, ainsi qu'à toutes les filles, de nouvelles chances.

Nous vous invitons à nous rejoindre pour soutenir notre appel à l'action - mettons en valeur un agenda qui valorise les opportunités offertes aux filles en Haïti, afin qu'elles puissent sentir toute la force d'une communauté mondiale sous leurs ailes. Nous espérons que ce projet de livre soit le début d'un voyage prometteur pour les filles de Siloe et que leur art, leur énergie et leur détermination captive le monde comme il nous a captivé.

Pamela Nathenson, Directrice Exécutive, World Connect

World Connect est une organisation à but non lucratif qui identifie des projets de transformation menés localement, des innovateurs qui ont des idées et une déterminations à apporter des changements positifs dans leurs communautés, et fournit l'étincelle pour lancer ces projets. World Connect fonctionne dans 15 pays en développement et a lancé plus de 800 projets qui améliorent la santé, l'environnement, des opportunités d'éducation et économiques, avec un accent particulier sur l'accélération des opportunités pour les femmes et les filles. World Connect offre sa programmation internationale dans les classes de collèges et lycées pour instruire les jeunes sur les problèmes du monde et la valeur de la citoyenneté mondiale, afin de construire une communauté mondiale mieux connectée, plus investie et collaborative. A World Connect nous croyons en la promesse de réciprocité; construire un monde meilleur pour l'autre aujourd'hui portera ses fruits pour nous tous demain. **Pour en savoir plus : www.worldconnect-us.org**.

Abundance Foundation et ses partenaires forment, soutiennent et responsabilisent les leaders locaux dans les communautés du monde entier pour qu'ils développent de nouvelles capacités et construisent des améliorations durables de leur qualité de vie. Nous travaillons à promouvoir des collectivités saines et tout en mettant l'accent sur l'intersection de la Santé, des Arts et de l'éducation, et de l'autonomisation, avec plusieurs de nos projets axés sur ces questions en Haïti. Abundance Foundation est la plaque tournante d'un réseau de visionnaires, de projets innovants, et d'organisations qui travaillent ensemble pour transformer la rareté en abondance. **Pour en savoir plus : http://abundance.org**.

Michael Stars est une marque de vêtements contemporains, basée à Los Angeles, qui propose une collection complète « d'essentiels de luxe » incarnant le style de vie californien moderne. La marque s'est fait un nom sur le marché du « style de vie » et continue à se développer avec une ligne avant-gardiste et facile à porter qui convient aux femmes soucieuses de leur style. Innovatrice dans ses designs, la marque est également concernée par efforts humanitaires et elle apporte un soutien régulier à de nombreuses organisations caritatives, notamment celles qui se préoccupent des femmes et de l'égalité des filles, de l'éducation et sont engagées dans le changement social. **Pour en savoir plus : www.michaelstars.com**.

PREFACE

PRÉFACE

By Didi Bertrand Farmer
Par Didi Bertrand Farmer

Extraordinary and powerful women and girls from all around the world have impacted and inspired my existence in so many ways. By "powerful," I mean something quite different from conventional and distorted meanings. For example, two of my primary teachers have been my two daughters, 16 and 6 years old. They've taught me, and still teach me, the central role of care and love to girls' development. This includes the challenge of offering a nurturing space for girls' empowerment starting from a young age. Families must offer the social protection required for them to grow without fear or other major concerns. I learned to listen and respond to their concerns without imposing or oppressing, by developing relationships built on trust and confidence. They are both confident and outspoken girls. My sisters and I did not enjoy this sort of relationship with our mother for the simple fact that she died when we were children; my youngest sister was only three years old when we lost our mother.

The 2010 earthquake in Haiti has magnified the impact of structural violence on girls, especially poor girls, in Haiti. It damaged existing social fabric and affected, adversely, family structures. This was due in large part to the sheer loss of life, but also to the collapse of homes in one of the most densely populated parts of the world. This led to the overnight creation of what would become, with the slow arrival of canvas and plastic, a series of tent-and-tarp cities in the midst of what was left of the capital city.

The focus of this book, the camera lens and the written word, is trained on the lives of people whose lives were profoundly disrupted by what most would term a "natural" disaster. But structural violence underpins vulnerability to such disasters, and it is always social. The Haitian people are as aware of this as any others, since our nation, the first in Latin America and the second in the hemisphere, was forged out of the fight against the social disaster of slavery. Responding effectively to the crisis worsened by Haiti's recent hurricanes and the earthquake is not likely to be accomplished by short-term humanitarian actions but rather by a broad social movement engaged in promoting the needs of the poor and vulnerable and excluded. In Haiti, as in many other settings, those so classified are predominantly women and girls. Investing in girls is one of the surest ways to promote social and economic development that might be meaningfully termed "just" and "sustainable"—two other buzzwords that have been rarely defined. Access to family planning and to reproductive health services, including education, are regarded as a central platform of any efforts that take seriously the problem of teenage pregnancy, a leading cause, along with inability to pay school fees, of girls' low rates of secondary school attendance. Study after study has shown that investing in girls' education is one of the surest ways of improving the health of their own children, especially if those children are born later in a young woman's life cycle.

In looking through this book — in contemplating these images and reading these young girls' words — a coherent and uplifting vision of girls empowerment comes through, as do the remarkable talents and promise of these girls. This book, the product of an "organic" and on-going partnership between the girls and their mentors and teachers and family and friends, reminds us, too, that the very notion of "power" must also be interrogated. To see this alternative vision of power, imagine, as these girls clearly do, a future in which they will know the opposite of fear and insecurity and material privation. Imagine a future, the first pages of which you hold in your hands, in which their own cultural contributions, current and future, are valued. This is, in the end, "the girl agenda" imbued in the words and images captured in this remarkable book. It is the emanating spirit of the work that made it possible, and spirit, like that of the Haitian people, that no adversity or disaster can ever extinguish.

Didi Bertrand Farmer has worked as a community organizer and activist for the rights of women and girls for the past 12 years. She serves as the Director of the Community Health Program for Partners in Health in Rwanda and leads the Haiti-Rwanda Commission, created after the 2010 earthquake to promote cultural exchanges between the two countries. She was born and raised in Haiti.

Nadia Todres

D'extraordinaires et puissantes femmes et filles, de partout dans le monde, ont inspiré mon existence, de bien des manières. Par « puissantes », je veux dire autre chose que le sens conventionnel et dévoyé. Par exemple, deux de mes enseignantes « primaires » sont mes deux filles, de 16 et 6 ans. Elles m'ont appris, et m'apprennent encore, le rôle central des soins et de l'amour dans le développement des filles. Cela inclut un espace stimulant offert aux filles dès leur plus jeune âge pour qu'elles s'autonomisent. Une protection familiale sociale nécessaire pour qu'elles grandissent sans peur ou sans soucis majeurs. J'ai appris à écouter et répondre à leurs préoccupations sans imposer ou opprimer, en développant des relations fondées sur la confiance. Ce sont deux filles confiantes et franches. Mes sœurs et moi ne jouissions pas de ce genre de relations avec notre mère, parce qu'elle est morte quand nous étions enfants; ma plus jeune soeur n'avait que trois ans.

Le tremblement de terre de 2010 en Haïti a amplifié l'impact de la violence structurelle sur les filles, en particulier sur les filles pauvres. Il a endommagé le tissu social et a affecté négativement les structures familiales existantes. En partie à cause des pertes en vies humaines, mais aussi de l'effondrement des maisons dans l'une des régions les plus densément peuplées du monde. Cela a conduit, en une nuit, à la création de ce qui allait devenir une série de villes de tentes, de toile et de plastique, au milieu de ce qui restait de la capitale.

L'objectif de ce livre, de la caméra comme des mots, se concentre sur ces gens dont les vies ont été profondément perturbées par ce que l'on appelle une catastrophe « naturelle ». Pourtant la violence structurelle est à la base de la vulnérabilité à ces catastrophes, et elle est toujours sociale. Le peuple haïtien en est aussi conscient que les autres, puisque notre nation, la première en Amérique latine et la deuxième dans l'hémisphère, s'est forgée sur la lutte contre le désastre social de l'esclavage. La réponse efficace à la crise aggravée par les récents ouragans en Haïti et le tremblement de terre, ce ne sont pas des actions humanitaires à court terme, mais plutôt un large mouvement social qui consiste à promouvoir les besoins des pauvres, des vulnérables et des exclus. En Haïti, et comme dans de nombreux autres domaines, ceux qui font partie de cette classe sont en majorité des femmes et des filles. Investir dans les filles est l'un des moyens les plus sûrs pour promouvoir un développement social et économique qui pourrait être défini pertinemment comme « juste » et « durable », deux mots à la mode mais rarement définis. L'accès à la planification familiale et aux services de santé reproductive, ainsi que l'éducation, sont considérés comme une plate-forme centrale de tous les efforts qui concernent le problème des grossesses chez les adolescentes, cause majeure, avec l'incapacité de payer les frais de scolarité, du faible taux de fréquentation scolaire des filles au secondaire. De nombreuses études ont montré que l'investissement dans l'éducation des filles est l'un des moyens les plus sûrs d'améliorer la santé de leurs enfants, surtout si ces enfants sont nés plus tard dans le cycle de vie des jeunes femmes.

En regardant ce livre, en contemplant ces images et à la lecture des mots de ces adolescentes, une vision cohérente de l'autonomisation apparaît, tout comme les remarquables talents et les promesses de ces jeunes filles. Et ce livre, produit d'un partenariat « biologique » et vivace entre elles, leurs mentors et les enseignants, la famille et les amis, nous rappelle aussi que la notion même de « pouvoir » doit également être questionnée. Pour avoir cette vision alternative du pouvoir, imaginez – comme le font ces filles – un avenir dans lequel elles connaîtront le contraire de la peur, de l'insécurité et des privations matérielles. Imaginez un avenir dont vous tenez entre vos mains les premières pages, dans lequel leurs propres contributions culturelles, concrètes et futures, sont valorisées. C'est en fait « l'agenda des filles », que l'on trouve dans les mots et les images capturées dans ce livre remarquable. C'est l'esprit qui émane de l'œuvre qui l'a rendue possible, cet esprit, qui, comme celui du peuple haïtien, ne peut être éteint par l'adversité ou une catastrophe.

Didi Bertrand Farmer travaille comme organisatrice de communauté et activiste pour les droits des femmes et des filles depuis 12 ans. Elle est actuellement directrice du Programme de Santé Communautaire de Partners in Health au Rwanda et elle dirige la Commission Haïti-Rwanda créée après le tremblement de terre de 2010, pour promouvoir les échanges culturels entre les deux pays. Elle est née et a grandi en Haïti.

TABLE OF CONTENTS
SOMMAIRE

Nadia Todres

OUR STORY

NOTRE HISTOIRE

Someone always asks *Why Haiti?* The answer is personal. When the earthquake hit on January 12, 2010, it had been five months since I lost my father to his courageous battle with lymphoma. Consumed by grief, I couldn't feel anything but my own pain. And then the earthquake happened. I stayed up watching the news until the early hours of the morning. I was drawn into the story in a way that I had never been before — the overwhelming catastrophe; the devastation wreaked upon a small nation of which I knew nothing, other than its dire poverty. For days, I was riveted, watching as bodies were pulled from rubble beneath collapsed buildings. But as I listened to women wail on the street, I moved outside of my own pain and my personal sorrow, and the grief of Haiti became the only thing that felt real.

So I went to Haiti, and as I am a photographer, I began taking photographs. Four years and twenty-five trips later, I am putting together this book, but it does not contain my own work. Rather it contains photographs taken by a group of extraordinary young women in Haiti, whom I have the great privilege to call "my girls". The girls of Siloe have become my family. They and their teachers have guided me on this journey and, in turn, I have promised myself to stay with them always. This book is dedicated to them and to their lives, which are filled with immense challenges and struggles, beyond what one can comprehend in America today.

The inspiration and motivation for the Center for the Arts (CFTA) began in 2011, when I was invited by the United Nations Foundation to teach photography to adolescent girls living in a sprawling camp for 50,000 internally displaced persons. I accepted, reluctantly, as I questioned whether this was the best use of my time, given the lack of access to water, food, shelter and medical care. I joined a group of artists from Los Angeles, and together we spent two weeks working with thirty girls from the JP/HRO camp and thirty girls from camps surrounding the YWCA in Pétion-Ville.

Collectively, as artists, we taught the girls photography, writing, acting and fine art, and we also conveyed the idea of self-expression through the arts. We planted the seeds and very quickly, buds began to form and, before our two weeks had ended, flowers were blooming. The girls had found their voices: through photography and writing they began to tell the stories of their new, post-earthquake lives.

I was fortunate to have met writer Holiday Reinhorn and her husband, the actor Rainn Wilson, as well as Kathryn Adams, who

Il y aura toujours quelqu'un pour demander Pourquoi Haïti ? La réponse est personnelle. Lorsque le séisme a frappé Haïti, le 12 janvier 2010, j'avais perdu mon père depuis cinq mois, malgré son courageux combat contre le lymphome. Dévorée par la douleur, je ne sentais plus rien qu'elle. Et puis est survenu le tremblement de terre. Je suis resté toute la nuit devant les nouvelles, jusqu'au petit matin, comme aspirée par cette histoire, cette terrible catastrophe; les ravages subis par cette petite nation dont je ne savais rien d'autre que l'extrême pauvreté. Pendant des jours, je restais rivée aux images des corps que l'on retirait des décombres des bâtiments effondrés. Mais alors que j'entendais les femmes se lamenter dans la rue, je suis sortie de ma propre douleur et de mon chagrin personnel, et celle d'Haïti m'est apparue comme la seule chose réelle.

Alors je suis partie en Haïti. Et comme je suis photographe, j'ai commencé à prendre des photos. Quatre ans et vingt-cinq voyages plus tard, je rédige ce livre qui ne présente pas mon propre travail, mais les photographies prises par un groupe de jeunes femmes extraordinaires d'Haïti, que j'ai l'immense privilège d'appeler « mes filles ». Les filles de Siloe sont devenues ma famille. Elles m'ont beaucoup appris. Elles et leurs professeurs m'ont guidée sur ce chemin et, à mon tour, j'ai promis de rester toujours avec elles. Ce livre leur est dédié, à elles et à leur vies remplies d'immenses défis et de combats, au-delà de ce que l'on peut imaginer dans l'Amérique d'aujourd'hui.

Mon inspiration et ma motivation pour créer le Centre pour les Arts (CFTA) sont nées en 2011, lorsque j'ai été invitée par la Fondation des Nations Unies pour enseigner la photographie aux adolescentes qui vivaient dans un camp abritant 50.000 personnes déplacées. J'ai accepté à contrecœur. Etait-ce le meilleur usage que je pouvais faire de mon temps, étant donné le manque flagrant d'accès à l'eau, de nourriture, d'abris et de soins médicaux ? J'ai rejoint un groupe d'artistes de Los Angeles, et ensemble, nous avons passé deux semaines à travailler avec une trentaine de jeunes filles du camp JP/HRO et de Pétion-Ville.

Collectivement, en tant qu'artistes, nous avons appris à ces adolescentes la photographie, l'écriture, le théâtre ou les arts plastiques, et également transmis l'idée qu'elles pouvaient s'exprimer à travers les arts. Nous avons planté les graines, mais très rapidement, les bourgeons ont commencé à se former et avant que les deux semaines ne s'achèvent, elles étaient en fleurs. Les filles avaient trouvé leur voix pour raconter les histoires de leur vie post-tremblement de terre : à travers la photographie et l'écriture !

Nadia Todres

"Mazile, fifteen years old and a new mother when I met her, inspired me to tell the story of adolescent girls living in post-earthquake Haiti. Here she is 3 years later outside her home in Siloe with her daughter and grandmother."

"Mazile, quinze ans, et jeune maman quand je l'ai rencontrée, m'a inspirée pour raconter l'histoire des adolescentes vivant en Haïti après le séisme. La voici, 3 ans plus tard, devant chez-elle à Siloe avec sa fille et grand-mère."

alongside Holiday taught writing to the girls. The four of us decided that what had occurred in those two weeks was worth repeating. So we followed that project with another one, fine tuned it and again saw incredible results in a short period of time. It was after this second project, in January 2012, that I realized we were on to something. The drawback was that our programs were short-lived, and while the participants created extraordinary pieces of art and writing, the programs ended after we had gone.

I had witnessed many projects for young girls that helped them gain confidence and self-respect and increase their participation in community life, but the powerful impact diminished over time because of the lack of follow-up and consistency.Thus was born the idea for the Center for the Arts: a program to help adolescent girls learn to express themselves through the arts that would be ongoing.

CFTA also aimed to to equip the girls with the emotional and psychological tools that they would need to become leaders in their communities and to contribute to creating a society in which the roles of women and girls are valued.

I discovered Siloe through one of its residents, Ysmaille, who had moved there from the neigbhoring area of Tabarre and who now, like many people in the community, called Siloe home.

Siloe is an isolated and seemingly forgotten area of Port-au-Prince, located far from the main road. Unlike other Port-au-Prince communities that have received a great deal of international support since the earthquake, Siloe is unlikely to see improvements in infrastructure anytime soon. Its people will likely continue to live without electricity, water or proper housing for years to come. It made sense to start our program in this community; it was crying out for help.

Over the past two years, the girls who have participated in the program have grown in wonderful ways. They have been introduced to amazing artists from around the world, including the renowned Haitian artist Frantz Zéphirin, who came to Siloe to paint with them. Frantz voiced his desire to give girls in Haiti the opportunity to put their imagination onto paper. As he told me, women and girls in Haiti do so much of the household work and child care, that there is little time in their day for them to express themselves artistically.

In October 2013, we celebrated the International Day of the Girl together with Zanmi Lasante, the Haitian sister organization to Partners in Health, and brought the acclaimed film *Girl Rising*, about

J'ai eu la chance de rencontrer l'écrivaine Holiday Reinhorn et son mari, l'acteur Rainn Wilson, ainsi que Kathryn Adams, qui avec Holiday ont enseigné l'écriture aux filles. Tous les quatre nous avons décidé qu'il fallait rééditer ce qui s'était passé pendant ces deux semaines. Nous avons donc fait suivre ce projet par un autre, en l'améliorant et à nouveau, nous avons assisté à des résultats incroyables dans un très court laps de temps. C'est après ce projet, en janvier 2012, que j'ai réalisé que nous tenions quelque chose d'important. Le seul inconvénient c'était que nos programmes étaient de courte durée et s'achevaient une fois que nous étions partis.

Je connaissais de nombreux projets pour adolescentes qui les aidaient à acquérir confiance et respect de soi et à accroître leur participation à la vie communautaire mais l'impact de ces projets diminuait au fil du temps. C'est ainsi qu'est née l'idée du Centre pour les Arts (CFTA) : un programme en continu qui permettrait à un groupe d'adolescentes d'apprendre à s'exprimer par les arts.

Le CFTA visait également à aider les filles à acquérir les outils émotionnels et psychologiques nécessaires pour devenir des leaders dans leurs communautés et contribuer à créer une société valorisant le rôle des femmes et des filles.

J'ai découvert Siloe par l'intermédiaire d'un de ses résidents, Ysmaille, qui avait déménagé de la zone de Tabarre et était désormais chez lui à Siloe.

Siloe est une zone isolée et apparemment oubliée de Port-au-Prince, loin de la route principale. Contrairement à d'autres communautés de Port-au-Prince qui ont reçu beaucoup de soutien international depuis le tremblement de terre, il semble peu probable que Siloe bénéficie d'améliorations structurelles dans un avenir proche. Ses habitants vont probablement continuer à vivre sans électricité, sans eau ou un logement décent pour les années à venir. Pour moi, il était logique de commencer notre programme dans cette communauté qui criait à l'aide.

Au cours des deux dernières années, les jeunes filles qui ont participé au programme se sont développées merveilleusement. Elles ont rencontré des artistes étonnants du monde entier, y compris le célèbre artiste haïtien Frantz Zéphirin, venu à Siloe pour peindre avec elles. Frantz a exprimé son désir de donner aux filles en Haïti la possibilité de traduire leur imagination sur le papier. Comme il m'a dit, les femmes et les filles en Haïti font l'essentiel du travail domestique et s'occupent des enfants, et elles ont peu de temps dans leur journée pour s'exprimer artistiquement.

En octobre 2013, nous avons célébré la Journée internationale des filles avec Zanmi Lasante, l'organisation sœur de Partners in Health

Jennifer

the power of education for girls, to Siloe. The motivation and pride that developed in the girls after they saw the film was remarkable. One of the girls, Nephtalie, said that she now understood that change is not only possible, but that "one girl can be the change in her whole community."

In January 2014, the girls presented their photographic work at Fokal, an cultural center in downtown Port-au-Prince. It was the first time that their work had been brought out of Siloe and seen by others in Haiti. The audience asked questions, instilling in the girls a deep sense of confidence and pride in the work that they had been doing for the previous eighteen months.

At around the same time, the girls had the opportunity to meet playwright and activist Eve Ensler and to share their voices and images with her to mark the One Billion Rising campaign. The program's central focus of giving voice to the girls was best exemplified by Wevly, a program participant, who bravely took the microphone to address Eve and the assembled leaders of Haiti's women's movement. Wevly called on the government to listen to her words, to look at the girls's photographs and to pay attention to the lack of security in Siloe. It was a great rising up of courage and strength and it exemplified our mission of empowering adolescent girls.

CTFA is helping the girls to see themselves outside of the typical gender roles that hold women back in Haitian society. Appropriate work for women in Haiti is considered to be mostly secretarial, cooking and cleaning or selling in petty commerce, or in healthcare (nurses, but not doctors). When the girls started the program, many of them mentioned these typical roles when they discussed their own future. Now many are thinking of becoming artists or writers. They have gained the sense that they can choose what they want to be.

The Center for the Arts is committed to staying the course in Haiti and with the girls. Our long-term objective is to work with many more girls to help them develop their emotional and artistic capabilities and to reduce their vulnerabilities. We extend our gratitude to all those who have contributed to help bring the benefits of the program to the girls of Siloe.

Nadia Todres, June 2014

en Haïti. Nous avons projeté à Siloe le fameux film Girls Rising, (Des filles qui s'élèvent...) sur le pouvoir de l'éducation pour les filles. La motivation et la fierté qui se sont développées chez les filles après le film a été remarquable. Nephtalie, l'une d'entre-elles, a dit qu'elle comprenait maintenant que le changement est non seulement possible, mais que «une fille peut représenter le changement pour toute sa communauté.»

En janvier 2014, les filles ont présenté leur travail photo à Fokal, un centre culturel et artistique de la capitale Port-au-Prince. C'était la première fois que leur travail sortait de Siloe et était vu par d'autres en Haïti. Le public a posé des questions, instillant aux filles un profond sentiment de confiance et de fierté dans le travail qu'elles avaient fait durant ces derniers dix-huit mois.

À peu près à la même époque, les filles ont eu l'occasion de rencontrer la dramaturge et activiste Eve Ensler et de partager leurs voix et leurs images avec elle à l'occasion de la campagne One Billion Rising. Le thème central « donner une voix aux filles » fut bien illustré par l'une d'entre-elles, Wevly, qui a pris courageusement le microphone pour répondre à Eve et aux dirigeants des mouvements de femmes en Haïti. Wevly a appelé le gouvernement à écouter ses paroles, à regarder les photos des filles et à prêter attention à l'absence de sécurité à Siloe. Ce fut un grand élan de courage et il illustrait bien notre mission de rendre plus autonomes ces adolescentes.

Le CTFA aide les filles à se projeter en dehors des rôles typiques assignés aux femmes dans la société haïtienne. Secrétariat, cuisine et nettoyage ou encore le petit commerce et les soins de santé (infirmières, mais pas médecins) sont considérés comme des emplois appropriés pour les femmes en Haïti. Quand les filles ont commencé le programme, la plupart d'entre-elles ont mentionné ces rôles typiques à propos de leur propre avenir. Aujourd'hui, beaucoup d'entre-elles pensent devenir des artistes ou des écrivains. Elles ont acquis le sentiment qu'elles peuvent choisir ce qu'elles veulent.

Le Centre pour les Arts s'est engagé à maintenir son cap en Haïti et avec les filles. Notre objectif à long terme est de travailler avec un plus grand nombre pour les aider à développer leurs capacités émotionnelles et artistiques et à réduire leur vulnérabilité. Nous exprimons notre profonde gratitude à tous ceux qui ont contribué enrichir et faire bénéficier les filles de Siloe de ce programme.

Nadia Todres, juin 2014

Nadia Todres

OUR TEAM
NOTRE ÉQUIPE

"I am convinced that the people in one's organization are the key to its success. With committed and passionate collaborators, anything is possible. I was most fortunate to have found Ysmaille, who is a true leader in Siloe. I then found teachers, mentors and artists who agreed to travel long distances each week to Siloe to share the idea of artistic expression with the girls, and who became deeply committed to working with them. We began courses in photography, painting, jewelry making, English, and writing.

We soon added a course in gender-based violence, because the age of adolescence is when girls are most at risk for sexual and gender-based violence, pregnancy, HIV/AIDS, and dropping out of school. CFTA aims to connect with girls before they reach the age of vulnerability, to help them learn to better manage risks."

Nadia Todres
Founder, Center for the Arts, Port-au-Prince

"Je suis convaincue que c'est l'équipe d'une organisation qui est la clé de son succès. Avec des collaborateurs engagés et passionnés, tout est possible. J'ai eu beaucoup de chance d'avoir trouvé Ysmaille, véritable chef de file dans Siloe. Ensuite, j'ai trouvé les enseignants, les mentors et les artistes qui ont accepté de parcourir chaque semaine de longues distances pour venir à Siloe partager ce concept de l'expression artistique avec les filles, et qui se sont profondément engagés à travailler avec elles. Nous avons commencé des cours de photographie, de peinture, de fabrication de bijoux, d'anglais et d'écriture.

Très vite nous avons ajouté un cours sur la violence basée sur le genre, parce que c'est à l'adolescence, que les filles risquent le plus de subir des violences sexuelles et sexistes, une grossesse, le VIH / SIDA, et d'abandonner l'école. Le CFTA vise à connecter avec les filles avant qu'elles n'atteignent l'âge de la vulnérabilité, à les aider à apprendre à mieux gérer les risques."

Nadia Todres
Fondatrice, Centre pour les Arts, Port-Prince

Nadia Todres is a photographer who divides her time between Haiti and New York and who is working on a longterm documentation of adolescent girls in post-earthquake Haiti. She founded the Center for the Arts, Port-au-Prince in 2012 to empower adolescent girls through the arts.

Nadia Todres est une photographe américaine. Elle partage son temps entre Haïti et New York et documente sur le long terme la vie des adolescentes en Haïti après le séisme. Elle a fondé le Centre pour les Arts à Port-au-Prince en 2012 avec pour objectif d'autonomiser les adolescentes à travers les arts.

"After the earthquake I moved to Delmas 75 Puits-Blain. Siloe was in the dark. When we began to help the people in the community, they became stronger. When you are in darkness, if you don't find anyone to help you will stay in the dark. But when you have someone helping you with love and passion it can change your direction. With the Center for the Arts the people in the community of Siloe have a sense of value.

The young adolescent girls in the community have learned to express themselves by creating things with which they will be able to earn an income. As CTFA continues to work in the community the girls will become mentors for the community. The Center for the Arts is helping these girls to change the direction of their lives.

We have begun to see light in Siloe. Light doesn't just come to you. You have to work hard to have it. Education is the key. When you learn something it can open so many doors. Some people in Haiti cannot read or write but they learn by doing. It is the same at the Center for the Arts; we have Restaveks who don't know how to read or write, but they learn by doing and by creating. One of the girls in the program, Junia, once said to me: *If we don't have the CFTA in Siloe one day, it will be as if we have lost one leg.*"

Ysmaille Jean-Baptiste, Program Coordinator

"*Après le tremblement de terre, j'ai déménagé à Delmas 75, vers Puits-Blain. Siloe était dans l'obscurité. Lorsque nous avons commencé à aider les gens de la communauté, ils sont devenus plus forts. Lorsque vous êtes dans l'obscurité, si vous ne trouvez personne pour vous aider, vous restez dans le noir... Mais quand vous avez quelqu'un qui vous aide avec amour et passion, ça peut tout changer. Grâce au Centre pour les Arts, les gens de la communauté de Siloe ont acquis un sens de la valeur.*

Les jeunes adolescentes de la communauté ont appris à s'exprimer en créant des choses avec lesquelles elles seront en mesure de générer un revenu. A mesure que le CTFA continue son travail dans la communauté, les filles apprennent à devenir des mentors pour celle-ci. Le Centre pour les Arts aide ces filles à changer le sens de leur vie.

Nous avons commencé à voir la lumière dans Siloe. La lumière ne vient pas seulement de vous. Vous devez travailler dur pour l'avoir. L'éducation est la clé. Lorsque vous apprenez quelque chose, cela peut ouvrir de nombreuses portes. Certaines personnes en Haïti ne peuvent pas lire ou écrire, mais ils apprennent en faisant. C'est la même chose au Centre pour les Arts; nous avons des restaveks qui ne savent pas lire ou écrire, mais elles apprennent par la pratique et par la création. Junia, une des filles du programme, m'a dit un jour : si un jour il n'y a plus le CFTA à Siloe, ce sera comme si nous perdions une jambe."

Ysmaille Jean-Baptiste, Coordonnateur de Programme

Ysmaille Jean-Baptiste is the Program Coordinator for the Center for the Arts, a logistics manager for Gerye Jwa, a professional welder and has a program, ESES for young children in the community of Siloe.

Ysmaille Jean-Baptiste *est le coordonnateur du programme pour le Centre pour les Arts, gestionnaire de la logistique pour Gerye Jwa, et aussi soudeur professionnel. Il a lancé le programme ESES pour les jeunes enfants de la communauté de Siloe.*

Jessica Beaufosse

I am working at Center for the Arts since it began in 2012, teaching the girls of Siloe English and writing. They are encouraged to express their feelings and emotions. I am working with these girls, not only as teacher, but as an adviser, mentor and friend where they can find answers to their questions. I really enjoy being with these extraordinary girls; it's like something has connected me with them. We are like a family. There is one thing which really motivates me when I am working with them which is a dream that I hope to see come true, to see them one day capable of speaking English, coping with their emotions, overcoming the challenges that life brings to them and seeing them bring change to their community.

Je travaille au Centre pour les Arts depuis sa création en 2012, j'enseigne aux filles de Siloe l'anglais et l'écriture. Elles sont encouragées à exprimer leurs sentiments et leurs émotions. Je travaille avec ces jeunes filles, non seulement en tant que professeur, mais en tant que conseillère, mentor et amie, auprès de qui elles peuvent trouver des réponses à leurs questions. J'aime vraiment être avec ces filles extraordinaires; c'est comme si quelque chose m'avait connectée avec elles. Nous sommes comme une famille. Il y a une chose qui me motive vraiment quand je travaille avec elles, et c'est un rêve que j'espère voir se réaliser, c'est qu'elles soient un jour capables de parler anglais, de faire face à leurs émotions, et surmonter les défis que la vie leur apporte, et aussi les voir apporter un changement dans leur communauté.

Jessica Beaufosse is an English teacher at the Center for the Arts and a translator to local and International NGO's. Her passion is to work with youth and to help them become strong enough to overcome challenges.

Jessica Beaufosse est professeure d'anglais au Centre pour les Arts et traductrice pour les ONG internationales. Sa passion est de travailler avec ces jeunes et les aider à devenir assez fortes pour surmonter les défis.

Claudine Charles

My experience working with the girls of Siloe benefited me in various different ways. I learned more about photography and the different ways of seeing things, journalistically and aesthetically. I discovered the community of Siloe and witnessed the lifestyles of the girls parents and realized that their lives were like much like the lives of people throughout the country. The girls have been blessed to be in the program at the Center for the Arts and I encourage them to continue learning.

Mon expérience de travail avec les filles a Siloe a été bénéfique pour moi dans plusieurs sens. Ce fut par exemple, un bon moyen d'apprendre plus de choses sur la photographie et les différentes façons de voir les choses journalistiquement et au niveau esthétique, ensuite j'ai découvert dans la communauté de Siloe, que le mode de vie des parents de mes élèves, n'était pas si différent du reste du pays. J'en déduis que les filles de Siloe ont eu une grande chance d'être dans le programme de Center For The Art. Je les encourage à continuer leur apprentissage.

Claudine Charles is a photographer currently enrolled at *Ciné Institute* in Jacmel, Haiti's only film school. She worked as the photography teacher for the Center for the Arts from June 2012 until July of 2013.

Claudine Charles est photographe. Elle est inscrite au Ciné Institut de Jacmel, seule école de cinéma en Haïti. Elle a travaillé comme professeur de photographie au Centre pour les Arts de juin 2012 à juillet 2013.

Guirlène Jean-Charles

They girls of Siloe are young like me; there is no age difference and it is just a question of experience. I learned photography in 2010 with Alice Smeets, a Belgian photographer; she was very young as I am right now with my group. Young or not it is important to share what we love with others. Looking at the progress of your students makes you proud. I hope to see the girls succeed in this field and I hope one day they can replace me at the Center for the Arts or in another organization; this is what motivates me to do the work well.

Ces filles de Siloe ont le même âge que moi; il n'y a pas de différence, c'est juste une question d'expérience. J'ai appris la photographie en 2010 avec Alice Smeets une photographe belge; elle était aussi jeune que moi aujourd'hui avec mon groupe. Jeune ou pas, il est important de partager ce que nous aimons avec les autres. Observer les progrès de vos élèves vous rend fière. J'espère voir les filles réussir dans ce domaine et j'espère qu'un jour, elles pourront me remplacer au Centre pour les Arts ou ailleurs dans une autre organisation; c'est ce qui me motive à bien faire ce travail.

Guirlène Jean-Charles is the photography teacher for the Center for the Arts and a photographer for Le Nouvelliste. She studied photography with the Belgian photographer Alice Smeets and Viv Timoun.

Guirlène Jean-Charles est professeur de photographie du Centre pour les Arts et un photographe au Nouvelliste. Elle a étudié la photographie avec la photographe belge Alice Smeets et Viv Timoun.

Adina Noël

Working with the girls in Siloe means a lot to me. They are like my daughters and I would like them to become great artists in the future and to be independent. They have changed a lot since the beginning of the program and are much more focused now and able to work on their own.

Travailler avec les filles de Siloe représente beaucoup pour moi. Elles sont comme mes filles et j'aimerai qu'elles deviennent de grandes artistes dans le futur et qu'elles soient indépendantes. Elles ont beaucoup changé depuis le début du programme et sont maintenant beaucoup plus concentrées et capable de travailler d'elles-mêmes.

Adina Noel is an art and jewelry teacher for the Center for the Arts and an artist who works primarily with local bamboo. Along with her husband who is also an artist, she has a studio and shop *Kay Art* in Kenskoff.

Adina Noël est professeure d'art et de création de bijoux au Centre pour les Arts. Elle est aussi artiste et travaille principalement avec du bambou local. Avec son mari, artiste comme elle, elle a un atelier et la boutique Kay Art à Kenskoff.

JESSICA

GUIRLÈNE

CLAUDINE

ADINA

OUR GIRLS
NOS FILLES

ABIGAELLE, 15

DADA, 13

DARLINE, 12

FÉDIANIE, 10

FLONISE, 18

JENNIFER, 18

JOUSELINE, 12

JUNIA, 17

MÉLANIE, 18

MODENA, 16

NADÈGE, 20

NAÏVDA, 15

NÉHÉMIE, 18

NEPHTALIE, 20

SHARA, 11

SOPHIA, 16

WEVLY, 16

WILNA, 15

YOLNA, 17

Haiti

A small country where there is a lot of suffering
Children are in misery
They are sleeping on the street
They don't have friends
They don't have family
Someone who can take care of them
Haiti, when are we going to stop crying?
When are we going to stop yelling?
My dear Haiti
When are we going to change your name back to
The Pearl of the Caribbean?
I will never leave you
Because I'm from here
It is the place our ancestors died
One day you will rise.

Haïti

Petit pays de grandes souffrances
Des enfants dans la misère
Qui dorment dans la rue
N'ont pas d'amis
N'ont pas de famille
Personne pour s'occuper d'eux.
Haïti, quand cesserons-nous de pleurer ?
Quand cesserons-nous de nous lamenter ?
Ma chère Haïti,
Quand pourrons-nous de nouveau t'appeler
La Perle des Antilles ?
Nous ne te laisserons jamais
Parce que je viens de toi
C'est ici que sont morts nos ancêtres
Un jour, tu te relèveras.

Shara

Nadia Todres

BEAUTE

When I first began to teach photography to the girls in Siloe, they looked for anything that was beautiful in their eyes. For them, this meant a patch of green, a flower growing amidst the dust and rubble, the blue sky etched with billowy white clouds. They wanted to photograph just about anything but what was in front of them, for what lay in front of them were the make-shift tent homes that represented the great tragedy that had hit Haiti in the earthquake on January 12th of 2010. They wanted nothing to do with the laundry that lay out to dry atop people's tent homes, nothing to do with the children playing in the dirt.

Our first outings were expeditions in search of beauty. However, that soon stopped, not so much because of the lack of beautiful images, although they were most definitely scarce, but because I wanted to teach the girls about being "story-tellers'." As a photographer myself, my job has always been to tell a story through images. I wanted them to understand that it was not only acceptable to take a photograph of the laundry, but that it was important to do so, as a photographer, and as a witness. While doing so they could tell the story of Siloe and its community, its people, its homes, and to show the world what life is like in Siloe; to show the tragedy that had befallen the country in which they lived and the community which they now called home.

As one of the girls, Yolna, said to me, "I get it. So fifteen years from now, when there are nice homes and schools in Siloe, people will be able to look back and see what it was like."

Thus began the process of moving from beauty to documentation, as visual story-tellers and photographers.

Nadia Todres

Quand j'ai commencé à enseigner la photographie aux filles de Siloe, elles cherchaient tout ce qui était beau à leurs yeux. Pour elles, cela signifiait un coin de verdure, une fleur qui pousse au milieu de la poussière et des gravats, le ciel bleu avec des nuages blancs mouvementés. Elles voulaient photographier n'importe quoi, sauf ce qui était en face d'elles, car ce qu'elles voyaient en face d'elles n'étaient que les tentes improvisées qui représentaient la grande tragédie qui a frappé Haïti lors du séisme du 12 janvier 2010. Elles ne voulaient rien savoir du linge qui séchait sur les tentes des gens, rien savoir des enfants qui jouaient dans la poussière.

Nos premières sorties furent des expéditions à la recherche de beauté. Toutefois, ceci s'arrêta bientôt, non pas par manque de belles images, quoi qu'elles étaient certainement rares, mais parce que je voulais apprendre aux filles à être des «conteuses d'histoires». En tant que photographe, mon travail a toujours été de raconter une histoire à travers des images. Je voulais leur faire comprendre non seulement qu'il était acceptable de prendre une photo de la lessive, mais qu'il était important de le faire, en tant que photographe, et en tant que témoin. Ce faisant, elles pourraient raconter l'histoire de Siloe et de sa communauté, son peuple, ses foyers, et montrer au monde ce qu'est la vie à Siloe; montrer la tragédie qui a frappé le pays dans lequel elles vivent et la communauté qu'elles considèrent maintenant comme leur foyer.

Comme me l'a dit Yolna, l'une des filles, «Je comprends. Donc, dans quinze ans, quand il y aura de belles maisons et des écoles à Siloe, les gens pourront regarder en arrière et voir ce que c'était.»

C'est ainsi qu'a commencé le processus de passer de la beauté à la documentation, comme des conteurs visuels et des photographes.

Nadia Todres

Nadia Todres

❝ When I close my eyes I see there is life; I see the sea is beautiful with a lot of waves and a soft wind. I see I'm taking photographs. I'm in another country working with children. I see myself strong. I see peace, joy and love in my community and I see myself helping others. ❞

❝ *Quand je ferme les yeux, je vois la vie; je vois que la mer est belle, avec beaucoup de vagues et un petit vent. Je me vois en train de prendre des photos. Je suis dans un autre pays, je travaille avec des enfants. Je me vois forte. Je vois la paix, la joie et l'amour dans ma communauté et je me vois aider les autres.* ❞

Nephtalie

> " When I close my eyes and dream, I see a lot of birds singing.
> I see flowers, light and stars in the sky. "

Wilna

" Quand je ferme les yeux et que je rêve, je vois plein d'oiseaux qui chantent.
Je vois des fleurs, de la lumière et les étoiles dans le ciel. "

Mélanie

Jennifer

"When I close my eyes I see myself flying in the sky.
I see life and light in the community."

Sophia

*"Quand je ferme les yeux je me vois qui vole dans le ciel.
Je vois la vie et la lumière dans la communauté."*

Flonise

Jennifer

29

Mélanie

Junia

Flonise

Nephtalie

33

Sophia

Jennifer

HOME
CHEZ NOUS

The tent homes that house many of the girls of Siloe make up a large body of the photographic work that has been produced by the girls. The reason for this is that the community in which the girls live and in which we are working is their home, and has been home to a community of people, many of whom migrated from the nearby area of Tabarre after the earthquake. Two years after the earthquake when our program took root, Siloe was made up almost entirely of make-shift tent homes. Four years after the earthquake, Siloe remains much the same unfortunately. Very little attention has come to Siloe. It remains in a state of deplorable living conditions. The two water pumps that served this community have both broken, and people in the community must walk far for water. The homes themselves have weathered many storms. After hurricane Isaac in 2013, people continued to live in their tent homes, many of which now had torn and shredded tarps barely piecing them together. Today it is unclear how this community will continue to live in this situation.

The girls embraced the idea of documentation and as a result have rather poignantly photographed the tent homes and the people who live in them, which include a good number of the girls. While we don't want the entire collection of images to be of these homes, the girls have been witnesses to a tragedy and its aftermath. These images are a way of showing this tragedy to the world, in an effort to reach the international community in hopes they will make it a priority to address the issue of housing for the Haitian people that still to this day remain in make-shift housing. While the numbers have dropped from 1.5 million people displaced by the earthquake and living in camps for Internally Displaced Persons, according to the International Organization for Migration there remains 350,000 people who do not yet have permanent housing. This includes the community of Siloe.

This record of images should stand as a poignant and stark picture of Haiti almost five years after the earthquake and one that should be seen by government officials and the international community."

Nadia Todres

Les tentes, qui abritent un grand nombre de filles de Siloe, constituent une grande partie de l'ouvrage photographique qui a été produit par les filles. Car la communauté dans laquelle elles vivent et où nous travaillons est leur foyer, et a été le foyer d'une communauté de personnes, dont beaucoup ont migré de la région voisine de Tabarre après le tremblement de terre. Deux ans après, alors que notre programme s'implantait, Siloe était composée presque entièrement de tentes improvisées. Quatre ans après le tremblement de terre, Siloe demeure malheureusement la même. Très peu d'attention lui a été accordée. Elle a encore des conditions de vie déplorables. Les deux pompes à eau qui ont servi cette communauté ont été brisées, et les gens de la communauté doivent marcher longtemps pour trouver de l'eau. Les tentes elles-mêmes ont résisté à de nombreuses tempêtes. Après l'ouragan Isaac en 2013, les gens ont continué à vivre dans leurs tentes, dont beaucoup sont maintenant déchirées et des bâches déchiquetées les tiennent à peine ensemble. Aujourd'hui, il est difficile de savoir comment cette communauté continuera à vivre dans cette situation.

Les filles ont accueilli l'idée de la documentation et par conséquent elles ont plutôt photographié, de façon très émouvante, les tentes et les gens qui y habitent et qui comprennent un bon nombre de filles. Nous ne voulons certes pas que toute la collection d'images montre ces tentes. Les filles ont été témoins d'une tragédie et de ses conséquences. Ces images sont une façon de montrer au monde cette tragédie et d'atteindre la communauté internationale dans l'espoir qu'elle aborde la question du logement pour les Haïtiens qui jusqu'à ce jour habitent dans des tentes de fortune. Alors qu'il y avait 1,5 millions de personnes déplacées par le tremblement de terre et vivant dans des camps, selon l'Organisation Internationale pour les Migrations, il reste 350 000 personnes sans logement permanent. Ceci comprend la communauté de Siloe.

Ce recueil d'images doit être considéré comme un tableau poignant et dur d'Haïti, près de cinq ans après le tremblement de terre, et devrait être vu par les représentants du gouvernement et de la communauté internationale."

Nadia Todres

Nadia Todres

"I remember before the earthquake, I had a much better life. I was very happy. I always got what I wanted. I was not living in a tent. I didn't have to fetch water. I had many friends with whom to play. I was alone in the house on January 12th, when it fell. My head was injured, but even as I was bleeding, I was wondering where was my mother. I saw her very late that day, and she is the one who told me I was bleeding. I remember sleeping under the stars and the rain falling on us. I was constantly praying for God to have mercy on us and I was all the time sad."

"Je me souviens, avant le tremblement de terre, j'avais une vie bien meilleure. J'ai été très heureuse, j'avais toujours eu ce que je voulais. Je ne vivais pas dans une tente. Je n'avais pas à aller chercher de l'eau. J'avais beaucoup d'amis avec qui jouer. J'étais seule le 12 janvier lorsque la maison est tombée sur moi et j'ai été blessée à la tête, je saignais et je me demandais seulement où était ma mère. Je l'ai vue très tard ce jour-là, c'est elle qui a vu que je saignais. Je me souviens que nous dormions sous les étoiles et de la pluie tombant sur nous... J'étais constamment en train de prier pour que Dieu ait pitié de nous et j'étais tout le temps triste."

Jennifer

Shara

Yolna

Yolna

Nephtalie

Dada

> I'm living in Siloe in a tent with my mother and father. I go to school every day. Fetching drinking water is not easy where I'm living. I can't sleep because the tent is too hot, especially in the daylight. Mosquitoes and lizards are very frequent. There are holes in the tents.

Jennifer

"Je vis à Siloe, dans une tente avec ma mère et mon père. Je vais à l'école tous les jours. Trouver de l'eau potable n'est pas facile où je vis. Je ne peux pas dormir parce qu'il fait chaud dans la tente, surtout pendant la journée. Il y a des moustiques et les lézards sont très fréquents. Il y a des trous dans les tentes."

Jouseline

Naïvda

"I feel comfortable because I go to school and eat every day, but I don't like what is happening in my neighborhood. Some children who are my age don't have the possibilities that I have; they can't go to school and they don't have a place to stay. I feel deeply touched by that."

Wevly

"Je me sens bien parce que je vais à l'école et je peux manger tous les jours, mais je n'aime pas ce qui se passe dans mon quartier. Certains enfants de mon âge n'ont pas les mêmes possibilités; ils ne peuvent pas aller à l'école et ils n'ont pas de maison. Je me sens profondément touché par cela."

Dada

Wilna

Nadège

Abigaelle

Life in Haiti isn't easy. I don't like where I'm living and the way I'm living. In the neighborhood I get water rarely, because I have to go far away in order to get it. Sometimes we wait until it rains to get water. The only place I feel comfortable is in my bed, because I don't share it with anyone.

Sophia

"La vie en Haïti n'est pas facile. Je n'aime ni l'endroit ni la façon dont je vis. Dans ce quartier j'ai rarement de l'eau, parce qu'il faut aller loin pour en trouver. Parfois, nous attendons jusqu'à ce qu'il pleuve pour en avoir. Le seul endroit où je me sente à l'aise c'est mon lit, parce que je ne le partage avec personne."

Abigaelle

Yolna

I'm living under a tent. I'm really not feeling comfortable and secure. There are a lot of thieves; anything can happen. I can't sleep at night because I'm so scared. I'm living with my mother and sister. I go to school and would like to help my family in the future, in order to change the way we are living. My mother is my best friend and she is always there for me. In my family, with all the problems we are facing, we still have solidarity between us.

Je vis sous une tente. Je ne m'y sens ni à l'aise ni en sécurité. Il y a beaucoup de voleurs; tout peut arriver. Je ne peux pas dormir la nuit tellement j'ai peur. Je vis avec ma mère et ma sœur. Je vais à l'école et je voudrais aider ma famille dans l'avenir, afin de changer la façon dont nous vivons. Ma mère est ma meilleure amie et elle est toujours là pour moi. Dans ma famille, malgré tous les problèmes auxquels nous sommes confrontés, il y a encore une grande solidarité.

Shara

In Siloe I'm living with my Dad and brother. God always blesses my family for we have food at home. I always go to school on time. I know in the area where I'm living people are suffering; they can't eat and don't have a comfortable place to live. I thanks God for blessing my family this way and he will surely bless the others.

A Siloe, je vis avec mon père et mon frère. Dieu bénit toujours ma famille car nous avons toujours de quoi manger. J'arrive toujours à l'heure à l'école. Je sais que là où je vis les gens souffrent, ils n'ont pas de quoi manger, n'ont pas un endroit confortable pour vivre. Je remercie Dieu qui bénit ainsi ma famille et il en fera surement autant pour les autres.

Modena

Darline

PORTRAITS

Our portrait work in Siloe evolved gradually and over time. Haitians have a delicate relationship with the camera. So much of the world has come to Haiti, in particular after the earthquake, and many people have pointed an intrusive lens into their world. So we took to photographing people in the community very slowly. We did not want people to feel as if we were taking something from them. At all times we have tried to give each person we have photographed a print of themselves, knowing full well this is rarely done in Haiti. It is something that has been very important to me because the process of taking a photograph does not stop at pressing the shutter. There is the editing of the image, and more importantly there is the sharing of the image. Haitians so rarely have an opportunity to have and hold a photographic image of themselves, so it's a very special part of the process for us in Siloe.

Turning the lens from the tent homes, to the people that live within them has been a delicate road to travel but one that truly makes sense. After almost two years, the community is familiar with all the girls and the fact that they can often be found roaming in search of images. Most people embraced us and allowed us into their world. As a result the girls produced a beautiful body of images, from the youngest children to their mothers, grandmothers, sisters and brothers and others within their community.

We hope they will see these images as a collective history of their community, showing not only the great challenges amongst them, but also the deep sense of belonging that exists. A belonging exists, not merely because of the physical space in which they live, but because of the fact that they are continuing to weather this aftermath of the earthquake and life thereafter, together as a community.

Nadia Todres

Notre travail à Siloe a évolué progressivement au fil du temps. Les Haïtiens ont une relation délicate avec l'appareil photo. Tant de gens sont venus en Haïti, particulièrement après le tremblement de terre, dont beaucoup ont pointé un objectif indiscret vers leur monde. Donc nous nous sommes mises très lentement à photographier les gens de la communauté. Nous ne voulions pas qu'ils sentent que nous leur prenions quelque chose. Et à chaque fois, nous avons essayé de donner à la personne photographiée une copie imprimée de sa photo, sachant très bien que cela se fait rarement en Haïti. C'était très important pour moi, car photographier ne se limite pas à appuyer sur le déclencheur. Il y a l'édition de l'image et, surtout, il y a le partage de l'image. Les Haïtiens ont si rarement l'occasion d'obtenir et de pouvoir garder une photo d'eux-mêmes, que c'était une partie très spéciale du processus pour nous à Siloe.

Tourner l'objectif, des tentes vers les gens qui y habitent, a représenté un parcours délicat, mais qui a donné un autre sens à ce que nous faisions. Après deux ans, la communauté s'est familiarisée avec les filles et le fait qu'elles la parcourent souvent, à la recherche d'images. La plupart des gens nous ont accueilli et nous ont admis dans leur monde. Résultat, les filles ont produit un bel ensemble d'images, allant des jeunes enfants à leurs mères, leurs grands-mères, leurs frères et sœurs et autres personnes au sein de leur communauté.

Nous espérons qu'elles verront ces images comme une histoire collective de leur communauté, montrant non seulement les grands défis auxquels elles sont confrontées, mais aussi le sentiment d'appartenance qui y existe. Ce sentiment existe, non seulement en raison de l'espace physique dans lequel ils vivent, mais aussi parce qu'ils continuent à supporter les conséquences du tremblement de terre et de la vie d'après, ensemble, en tant que communauté.

Nadia Todres

Nadia Todres

❝Siloe represents for me a flower; a beautiful area. If our citizens put their hands together, Siloe would be better. Siloe has a lot of children and a lot talented people, but they don't have accompaniment. Siloe needs healthcare and schools. The children in Siloe need to be taken care of because they are the future.❞

❝Siloe représente pour moi une fleur, un bel endroit. Si nos citoyens unissaient leurs efforts, Siloe serait mieux. Il y a beaucoup d'enfants et beaucoup de gens talentueux, mais ils n'ont pas d'accompagnement. Siloe a besoin ds soins de santé et d'écoles. Les enfants de Siloe doivent être pris en charge car ils sont l'avenir.❞

Yolna

Junia

Abigaelle

> "It is important to let men know that what they are doing to us is unfair, because we are the future of the country and we play a big role in the family and in the country. They have to know that we have rights and are free as are they."

Modena

"Il est important de faire savoir aux hommes que ce qu'ils nous font est injuste parce que nous sommes l'avenir du pays et nous jouons un grand rôle dans la famille et dans le pays. Ils doivent savoir que nous avons des droits et sommes aussi libres qu'ils le sont."

Naïvda

Naïvda

"The importance of speaking out about violence against women and girls is because we want people to understand how we feel; how this can have an impact on us. We want them to know our value in society. It is a way to say 'stop' to the negative things that men are doing against women and girls. It was a great experience for me to meet Eve Ensler for the *One Billion Rising* launch. I was among the fighters against violence and I heard speeches which gave me strength."

"C'est important de discuter du sujet de la violence contre les femmes et les filles, parce que nous voulons que les gens comprennent ce que nous ressentons; comment cela peut avoir un impact sur nous. Nous voulons qu'ils connaissent notre valeur dans la société. C'est une façon de dire «stop» aux actes négatifs que font les hommes contre les femmes et les filles. C'était une grande expérience pour moi de rencontrer Eve Ensler pour le lancement de One Billion Rising; *j'étais parmi les combattants contre la violence et j'ai entendu des discours qui m'ont donné de la force."*

Wevly

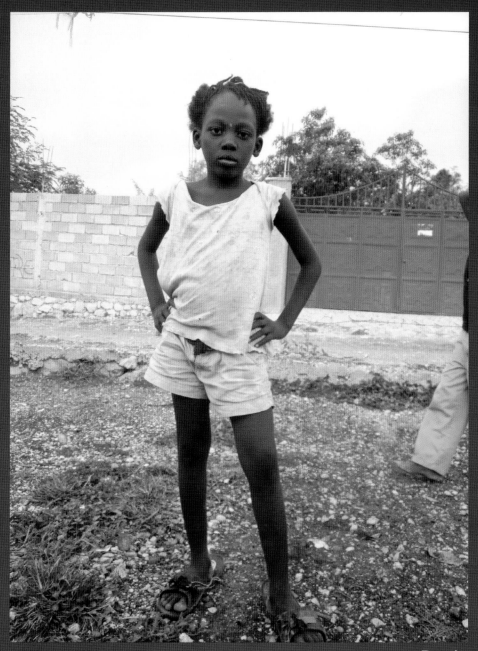

Dada

Wilna

Jouseline

Jennifer

Yolna

" By talking we show men our importance in their lives. It is because of women that they are alive. We took care of them when they were children. If they love their Moms and won't accept anything bad happening to them, they should do the same for other women. To remind them and sensitize them, we need to speak out."

Wevly

> *"En parlant, nous montrons aux hommes notre importance dans leur vie. C'est grâce aux femmes qu'ils existent. Nous avons pris soin d'eux quand ils étaient enfants, et si ils aiment leurs mamans ils n'accepteront pas que quelque chose de mauvais leur arrive. Ils devraient faire la même chose pour les autres femmes. Pour le leur rappeler et les sensibiliser, nous devons parler."*

Sophia

Sophia

" After four years I want everyone to continue praying to God and to work very hard and to have solidarity between themselves, because unity makes people stronger. "

Yolna

"Après quatre ans, je veux que chacun continue à prier Dieu et à travailler très dur et à entretenir la solidarité entre eux, parce que l'unité rend les gens plus forts."

Nadège

Yolna

" Both Shara and Jennifer have changed a lot since coming to the program. They have become much more responsible. They don't have a father. I am the only parent for them. I don't have money to pay for a special kind of program like this, where they can learn art, and I am very grateful for this program and this opportunity for my daughters. "

Guirlène, mother of Shara and Jennifer

" *Shara et Jennifer ont toutes les deux beaucoup changé depuis le début du programme. Elles sont bien plus responsables. Elles n'ont pas de père. Je suis leur seul parent. Je n'ai pas les moyens de payer pour un programme comme celui-ci, où elles peuvent apprendre l'art, et je suis très reconnaissante de l'opportunité qui est offerte à mes filles.* "

Guirlène, mère de Shara et Jennifer

Yolna

ARTISTS
ARTISTES

Iris
Gene Lahens

"When I met Nadia and we talked about having a workshop with the girls of Siloe, I was immediately excited about the project. It was not the first time I was going to work and paint with young people, but this time the whole concept of the workshop with these girls really inspired me. My concept of art is an emotion that is within oneself and from which each of us can draw out something of ourselves. I used simple painting techniques in my own way so that the girls could use brushes and acrylic paint to be free to express themselves. They immediately understood and found in their inner world plenty of emotions that they spontaneously expressed on paper. The results were amazing and there was an atmosphere rich in sharing. I will admit to having learned a great deal, while trying to teach them a simple technique. I gave little of myself, but I received so much from those girls, who gave me their attention, and more importantly their hearts, in the beautiful drawings they produced."

Iris Gene Lahens is an accomplished artist, architect and jewelry designer who has exhibited worldwide. She is the architect, along with her husband, of FOKAL, the art and cultural center in Port-au-Prince. Iris divides her time between Haiti, Montreal and Paris.

"Quand j'ai rencontré Nadia, nous avons évoqué un atelier avec les filles de Siloe, et j'ai été immédiatement enthousiasmée par le projet. Ce n'était pas la première fois que j'allais travailler et peindre avec des jeunes, mais cette fois le concept de l'atelier avec ces filles m'a vraiment inspiré. Ma conception de l'art c'est une émotion qui est en soi et à partir de laquelle chacun de nous peut tirer quelque chose de soi-même. J'ai utilisé des techniques simples de peinture à ma manière pour que les filles puissent utiliser des pinceaux et de la peinture acrylique et être libres de s'exprimer. Elles ont immédiatement compris et ont trouvé dans leur monde intérieur beaucoup d'émotions qu'elles ont spontanément exprimé sur papier. Les résultats furent étonnants et l'atmosphère riche en partage. J'avoue avoir appris beaucoup de choses, tout en essayant de leur apprendre une technique simple. J'ai donné un peu de moi, mais j'ai reçu beaucoup de ces filles, qui m'ont donné leur attention, mais surtout leurs cœurs, dans les beaux dessins qu'elles ont produit."

Iris Gene Lahens est une artiste, architecte et créatrice de bijoux accomplie qui a exposé dans le monde entier. Avec son mari, elle est l'architecte de FOKAL, le centre d'art et culturel de Port-au-Prince. Iris partage son temps entre Haïti, Montréal et Paris.

ARTISTS
ARTISTES

Lilika Papagrigoriou

" The experience of Siloe was very beautiful. In the beginning the girls were really paying attention as to how to paint. When they understood that in art there is no right or wrong, they let go and created very beautiful things. "

Lilika Papagrigoriou is a Greek artist who lives in Port-au-Prince. Ever since she visited Haiti she felt a big connection between Haiti and Greece; between voodoo and Greek mythology. She has exhibited in Haiti, Greece and Miami.

" *L'expérience de Siloe était très belle. Au début, les filles étaient vraiment attentives à la façon de peindre. Mais quand elles ont compris que dans l'art il n'y a ni bon ni mauvais, elles se sont laissées aller et ont créé de très belles choses.* "

Lilika Papagrigoriou est une artiste grecque qui vit à Port-au-Prince. Depuis sa première visite en Haïti, elle a senti une forte connexion entre Haïti et la Grèce; entre le vaudou et la mythologie grecque. Elle a exposé en Haïti, en Grèce et à Miami.

ARTISTS
ARTISTES

Frantz Zéphirin

" The girls of Siloe are future artists, photographers and actresses. They always keep a radiant smile for visitors. They represent the driving force that makes time move on through their desire to learn. These are girls that make you laugh with their jokes and relevant questions. I was very happy to work with them and spend some time in Siloe. I hope to return again to draw some smiles from the fountain of Siloe. I salute Nadia and people around the world who, through their solidarity and donations, pour out hope from the hearts of these young heroines. "

Frantz Zéphirin is a Haitian artist who has exhibited worldwide. He learned to paint from his uncle in Cap Haitien and sold his first painting at the age of eight for twenty dollars. His paintings graced the covers of *The New Yorker* and *Smithsonian* magazines following the earthquake. He divides his time between Haiti and Key West, Florida.

" *Les filles de Siloe sont de futures artistes, photographes et comédiennes. Elles gardent toujours un sourire radieux qui fait la joie des visiteurs. Elles représentent la force motrice qui fait bouger le temps par leur envie d'apprendre. Ce sont des jeunes filles qui font rire par leurs plaisanteries et leurs questions pertinentes. J'ai été très heureux de travailler avec elles et de passer quelques instants à Siloe. J'espère pouvoir y retourner pour puiser quelques sourires à la fontaine de Siloe. Je salue Nadia et les gens du monde entier, qui par leur geste de solidarité et leur donation font jaillir l'espoir dans les cœurs de ces jeunes héroïnes. Que l'amour habite parmi vous.* "

Frantz Zéphirin *est un artiste haïtien qui a exposé dans le monde entier. Il a appris à peindre avec son oncle au Cap-Haïtien et a vendu son premier tableau à l'âge de huit ans pour vingt dollars. Ses peintures ont fait la couverture des magazines* The New Yorker *et* Smithsonian *après le séisme. Il partage son temps entre Haïti et Key West, en Floride.*

ACKNOWLEDGEMENTS

I would like to thank the girls of Siloe for their commitment to the Center for the Arts, for showing up each week, for their desire to learn, to better themselves and ultimately to build a better life for themselves and their families; to the community of Siloe for welcoming me in their homes and their hearts; Ysmaille Jean Baptiste for his commitment to our program, for providing us with a 'home' each week and for his invaluable patience and steadfast way of being; Jessica Beaufosse for her invaluable translation work, her commitment and dedication to the girls and her gentle lovely spirit; Adina Noël for her commitment to the girls, for her weekly effort and journey from the mountains of Kenskoff to Siloe; Guirlene Jean Charles for her desire to impart to the girls her knowledge of photography; Claudine Charles for the year she spent with us teaching the girls photography in the early days of our program.

I would like to thank the artists that have come to Siloe, in particular Frantz Zéphirin, who not only has come to Siloe to paint with the girls but who generously donated two of his extraordinary paintings to the Center for the Arts last year for us to auction off, with all proceeds going to the CFTA. His incredible spirit and zest for life, his profound talent and his desire to give to us has moved me deeply; Lilika Papagrigoriou for her absolute loveliness of spirit, her talent, her effort to come to Siloe to work with the girls and her ongoing and deep friendship that I am so blessed to have; to Iris Gene Lahens for her precious time and for bringing her talent to Siloe to share with the girls.

I would like to extend a special thank you to Didi Bertrand Farmer who wrote the beautiful and very moving foreword to this book. Didi's commitment to girls in Haiti is deeply rooted and from our time together in the PIH IDP camps, following the earthquake, to her visit to Siloe, we have remained connected. I could not be more honored that she is a part of this book.

My deepest gratitude to Pamela Nathenson and Patrick Higdon of World Connect for their vision for this book and for their support in bringing the book to fruition. World Connect believed in us from the beginning and have partnered with us to tell our story and we could not be more grateful. Being able to create such a book that can bring the story of the girls of Haiti to the attention of both the local government and the international community is a unique opportunity.

I extend my further gratitude to my sponsors whose generous contributions made this book possible. I would like to thank Stephen Kahn of the Abundance Foundation whom I met at the very beginning of my Haiti journey and whose kindness, generosity and love for Haiti have moved me deeply, Suzanne Lerner of Michael Stars whose commitment to women and girls in Haiti is nothing short of inspiring; Digicel Haiti, Edwidge Danticat, Kate Engelbrecht, Elissa Epstein, Judy Sarvary and Bernice Todres, who hold a deep love for Haiti and in particular for its girls.

I would also like to extend a very special thank you to Paul Farmer for his generous donation, made in honor of his wife, Didi Bertrand Farmer. I have had the great fortune to cross paths with Paul from the rooftops of his clinics in the Central Plateau to the halls of Harvard, not to mention the honor he gave me of allowing my images to grace the pages of his book *Haiti After the Earthquake*. His journey and his work have inspired me profoundly.

This book would not be possible without the efforts of Stephanie Renauld Armand, of Notabene Editions Communications, who from the moment I met her and discussed the idea of doing a book together, knew she would create an extraordinary testimonial to our work.

Finally I would like to thank a few special individuals who have given so generously to the Center for the Arts since it's inception, and without whom we would not have come this far; Mike and Deb Anderson and Holiday Reinhorn and Rainn Wilson. These individuals believed in me and my work from the day that I announced plans for the Center for the Arts. Their unwavering support has not only supported the Center for the Arts financially, but more importantly through their presence in Siloe they have shown their deep belief in our work, and in the future of the girls of Siloe.

Nadia Todres

REMERCIEMENTS

Je tiens à remercier les filles de Siloe pour leur engagement envers le Centre pour les Arts, pour s'être présentées chaque semaine, pour leur désir d'apprendre, de se perfectionner et, par là même, de se construire une vie meilleure ainsi que pour leurs familles; la communauté de Siloe, pour m'avoir accueillie dans leurs foyers et dans leurs cœurs; Ysmaille Jean-Baptiste, pour son dévouement à notre programme, pour nous avoir fourni un « foyer » chaque semaine et pour sa patience inébranlable et son attitude; Jessica Beaufosse, pour son aide précieuse dans la traduction, son engagement et son dévouement envers les filles et sa nature douce et sereine; Adina Noel, pour son engagement envers les filles, pour son effort chaque semaine de descendre des montagnes de Kenskoff jusqu'à Siloe; Guirlene Jean Charles, pour son désir de transmettre aux filles ses connaissances de la photographie; Claudine Charles, pour l'année qu'elle a passé avec nous, à enseigner la photographie aux filles depuis les premiers jours de notre programme.

Je tiens à remercier les artistes qui sont venus à Siloe, en particulier Frantz Zéphirin, qui non seulement est venu peindre avec les filles, mais qui a généreusement fait don de deux de ses extraordinaires toiles au Centre pour les Arts l'année dernière, pour qu'elles soient vendues aux enchères, tous les profits revenant au CFTA. Son esprit et sa joie de vivre, son talent extraordinaire et son désir de donner m'ont profondément émue; Lilika Papagrigoriou, pour sa beauté d'esprit, son talent, ses efforts pour venir à Siloe travailler avec les filles et son amitié constante et profonde qui me bénit; Iris Gene Lahens, pour son précieux temps et pour avoir amené et partagé son talent avec les filles de Siloe.

Je tiens à te dire à toi, Didi Bertrand Farmer, un grand merci pour avoir écrit la belle et émouvante préface de ce livre. L'engagement de Didi envers les filles d'Haïti est profondément enraciné et, depuis le temps que nous avons passé ensemble dans les camps PIH IDP de personnes déplacées à la suite du tremblement de terre, jusqu'à sa visite à Siloe, nous sommes restées connectées. Je ne pourrais être plus honorée qu'elle fasse partie de ce livre.

Ma profonde gratitude à Pamela Nathenson et Patrick Higdon de World Connect pour leur vision de ce livre et pour leur soutien dans sa concrétisation. World Connect a cru en nous dès le début et a établi un partenariat avec nous pour raconter notre histoire, et nous leur sommes des plus reconnaissants. Le fait de pouvoir créer un livre qui puisse porter l'histoire des filles d'Haïti à l'attention du gouvernement local et de la communauté internationale est une occasion exceptionnelle.

J'aimerai aussi exprimer ma gratitude à mes sponsors dont les généreuses contributions ont permis de réaliser ce livre. Je tiens à remercier Stephen Kahn de Abundance Foundation, que j'ai rencontré au tout début de mon voyage en Haïti et dont la bonté, la générosité et l'amour pour Haïti m'ont profondément émue ; Suzanne Lerner, de Michael Stars, dont l'engagement pour les femmes et les filles d'Haïti est inspirant; Digicel Haïti, Edwidge Danticat, Kate Engelbrecht, Elissa Epstein, Judy Sarvary et Bernice Todres, qui prodiguent un amour profond à Haïti, et en particulier à ses filles.

Je tiens également remercier tout spécialement Paul Farmer pour son généreux don, fait en l'honneur de sa femme, Didi Bertrand Farmer. J'ai eu la chance de croiser Paul sur les toits de ses cliniques dans le Plateau Central ou bien dans les couloirs de Harvard, sans mentionner l'honneur qu'il m'a fait de permettre à mes images d'orner les pages de son livre Haiti After the Earthquake. Son parcours et son travail m'ont profondément inspirés.

Ce livre n'aurait pas été possible sans les efforts de Stephanie Renauld Armand, de Nota Bene Editions Communications, qui, dès le moment où je l'ai rencontrée et où nous avons évoqué l'idée de faire un livre ensemble, savait qu'elle allait créer un témoignage extraordinaire de notre travail.

Enfin, je tiens à remercier quelques personnes spéciales qui ont donné si généreusement au Centre pour les Arts depuis sa création, et sans qui nous n'aurions pas pu parcourir tout ce chemin; Mike et Deb Anderson et Holiday Reinhorn et Rainn Wilson. Ces personnes ont cru en moi et en mon travail depuis le jour où j'ai annoncé mes plans pour le Centre pour les Arts. Leur soutien inébranlable a non seulement soutenu le Centre pour les Arts financièrement mais, surtout, à travers leur présence à Siloe, ils ont montré leur profonde foi dans notre travail, et dans l'avenir des filles de Siloe.

Nadia Todres

"I see now that one girl can be the change in her community."

"Je sais maintenant qu'une seule fille peut faire un changement dans sa communauté."

Nephtalie

This book has been made possible by the generous contributions of:

  WORLD CONNECT · ABUNDANCE FOUNDATION · Michael Stars · Digicel